MON PREMIER LIVRE DE FLUTE A BEC

Caroline Hooper et Philip Hawthorn

Maquette : Jan McCafferty

Illustrations : Simone Abel

Traduction : Jérôme Jacobs

Musique originale et arrangements :
Caroline Hooper et Philip Hawthorn

Directrice de la collection : Jane Chisholm

À propos de ce livre

Il existe une grande variété de flûtes à bec. Ce livre est consacré à la plus courante, dite soprano.

La page 60 présente d'autres types de flûtes à bec et la page 61 comment en choisir une.

Lire la musique

Tu vas apprendre à lire la musique afin de pouvoir jouer des morceaux avec ta flûte.

Tu découvriras aussi la notation musicale.

Apprendre à jouer

Tu vas apprendre à jouer différents sons musicaux, ou notes,

Chaque page présentant une nouvelle note comporte un coin rouge, où est inscrit le nom de la note.

Cela t'aidera à repérer les notes rapidement et facilement.

Parfois, il existe une version aiguë et grave d'une même note.

Par exemple, *do'* est une version plus aiguë de *do*.

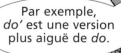

Termes et symboles

Tous les termes et les symboles musicaux sont expliqués simplement et clairement à mesure qu'ils apparaissent.

À propos de la flûte à bec

La flûte à bec est un instrument étonnant, dont l'histoire est passionnante : d'ailleurs, comme tu le verras plus loin, le roi Henri VIII d'Angleterre y est associé.

Description de la flûte

Les flûtes à bec sont en bois ou en plastique. La plupart comportent deux ou trois sections, qui s'emboîtent. Elles sont décrites ci-dessous. On t'explique aussi comment monter et démonter ta flûte.

Voici le corps.

Voici le pied.

Sur certaines flûtes, cette section est attachée au corps.

Démonte ta flûte…   …et remonte-la

Si les jointures résistent, tu peux les enduire d'une graisse spéciale.

Tiens la tête dans une main et le corps dans l'autre. Fais-les tourner dans un sens, puis dans l'autre.

Certaines flûtes à bec comportent trois sections. Si c'est le cas de la tienne, ôte le pied de la même façon.

Pour remonter la flûte, enfonce la tête sur la partie supérieure du corps. Puis aligne les trous sur celui de la tête.

Si ta flûte comporte trois parties, aligne les trous du pied de sorte qu'ils soient un peu plus à droite que les autres.

Cette partie est la tête.

Ceci est le bec.

Il y a un autre trou au dos de la flûte.

L'entretien de ta flûte

Il est important de prendre soin de son instrument. S'il est abîmé, il risque de produire un son de moindre qualité. Voici quelques conseils d'entretien.

Conserve-la toujours dans son étui quand tu n'en joues pas...

...sinon, elle risque d'être abîmée.

Ne la range pas dans un endroit trop chaud. Elle pourrait se déformer.

Ne mords jamais l'extrémité de l'embouchure. Tu risquerais ensuite d'avoir du mal à souffler dedans.

Nettoie toujours l'intérieur de ta flûte à bec quand tu as fini de jouer.

Utilise un écouvillon...

Enfonce plusieurs fois l'écouvillon à l'intérieur de chaque partie.

...ou bien un chiffon doux.

Procure-toi une tige de métal munie d'une fente. Insères-y un chiffon doux et enfonce-le dans chaque section.

Comment tenir ta flûte à bec

On peut jouer de la flûte à bec assis ou debout. L'important, c'est que tes mains et tes doigts soient détendus. Essaie également de ne pas courber les épaules.

Installe la partition à hauteur d'yeux.

Il faut tenir la flûte légèrement pointée vers l'avant.

Garde la tête et le dos bien droits.

Écarte légèrement les coudes.

Si tu dois te pencher pour la lire, tu ne produiras pas un son clair.

Où placer les doigts

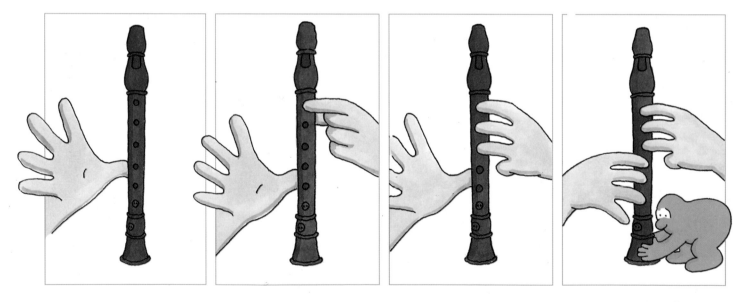

Place le pouce droit sur le dos de la flûte, entre le 4e et le 5e trou, pour disposer d'un bon appui.

Puis bouche le trou situé sur le dos avec le pouce gauche, et le premier trou situé sur l'avant avec l'index gauche.

Maintenant, essaie de boucher les deux trous suivants avec le majeur et l'annulaire gauches. Bouche les autres

trous avec les doigts de la main droite. Sers-toi du petit doigt pour boucher les trous du pied.

Produire un son

Pour ton premier essai, ne bouche que le trou du pouce et le premier trou, en te servant du pouce droit pour soutenir la flûte. Place tes lèvres sur l'extrémité du bec, mais ne l'enfonce pas trop dans la bouche. Puis inspire profondément et souffle doucement. Fais en sorte que ton souffle soit aussi régulier que possible.

Ne souffle pas trop fort, sinon ta flûte couinera.

Si tu ne souffles pas assez fort, ou que tu es à bout de souffle, ta flûte sonnera comme un aspirateur qu'on éteint.

Parfois, l'humidité produite par ton souffle empêche l'air de ressortir.

Dans ce cas, bouche le trou du bec (la « lumière ») et souffle fort.

Conseil utile

Fais en sorte que tes doigts couvrent bien les trous. Pour t'en assurer, appuie fort sur les trous, puis retire les doigts : tu dois apercevoir des cercles bien nets sur ta peau.

Les cercles doivent être au milieu de chaque doigt...

...et légèrement de côté sur le pouce.

Sers-toi de ta langue pour souffler

Pour produire un son clair, prononce un « t » du bout de la langue en même temps que tu souffles (coup de langue).

Essaie de dire « ta-ta-ta » en soufflant. Chaque son doit être bien net.

Tout sur les notes de musique

La musique est constituée de notes, qui s'appellent : *do, ré, mi, fa, sol, la, si.*

La hauteur de son

Certaines notes sont aiguës, d'autres graves. On passe de l'une à l'autre en bouchant des trous différents.

Une note dure aussi longtemps que ton souffle.

Joue ta première note

Quand tu appris à produire un son, à la page 7, tu as bouché le trou du pouce et le premier trou. Cette note était un *si.*

L'illustration de droite te montre quels trous boucher pour *si.*

Bouche ce trou avec le pouce gauche.

Bouche ce trou avec l'index gauche.

si

Chaque fois que tu apprends une nouvelle note, une illustration t'indique quels trous boucher.

Assure-toi que ces deux trous sont complètement bouchés.

Garde les autres doigts au-dessus de leur trou respectif.

Fais attention de ne pas boucher d'autre trou par erreur.

Écrire les notes

On écrit les notes sur une portée constituée de cinq lignes. Chaque note a sa place sur la portée, soit sur une ligne, soit dans un intervalle.

Le signe placé en tête de portée s'appelle une clé de *sol*.

Plus les notes sont hautes sur la portée, plus elles sont aiguës.

Ouvre l'œil ! Les notes situées dans les intervalles sont *fa*, *la*, *do* et *mi*.

C'est ici que se place le *si*.

Voici le nom des notes qui se trouvent sur les lignes.

Pour t'en souvenir, c'est facile : la première lettre de chaque note est aussi la première des mots de cette phrase.

Mes Souliers Sympas Résistent aux Flaques

En rythme

Le rythme est composé de plusieurs temps. Le tic-tac d'une horloge et les battements de ton cœur sont des rythmes.

Prononce les mots sur le tableau et frappe dans tes mains en même temps, à une allure régulière.

Je joue un *si*. Et vous aussi !

Frappe dans tes mains en prononçant chaque mot.

Chaque battement représente un temps.

Ce rythme est le plus simple qui soit...

...car tous les sons ont la même durée.

Maintenant, dis les mots dans ta tête et joue un *si* pour chacun.

si

Les symboles musicaux

En musique, il existe des symboles qui indiquent combien de temps dure chaque note. Une note qui dure un temps s'appelle une noire.

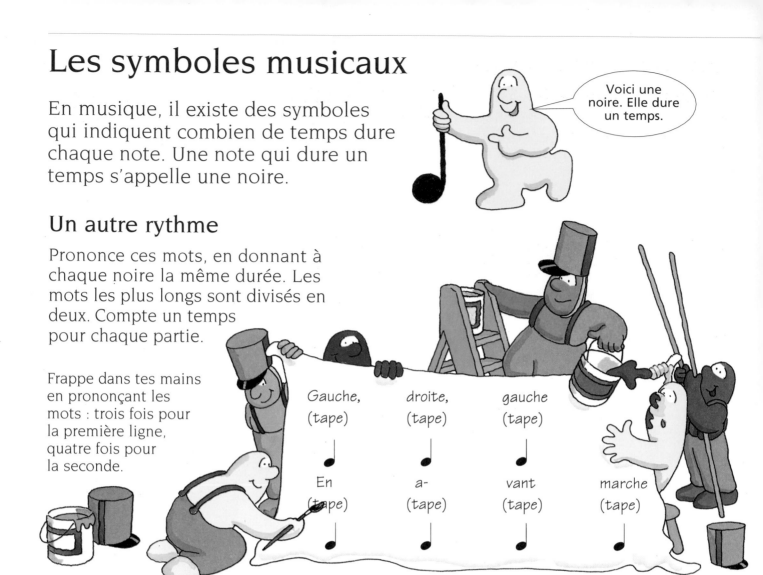

Voici une noire. Elle dure un temps.

Un autre rythme

Prononce ces mots, en donnant à chaque noire la même durée. Les mots les plus longs sont divisés en deux. Compte un temps pour chaque partie.

Frappe dans tes mains en prononçant les mots : trois fois pour la première ligne, quatre fois pour la seconde.

Gauche,	droite,	gauche	
(tape)	(tape)	(tape)	
En	a-	vant	marche
(tape)	(tape)	(tape)	(tape)

La deuxième fois que tu dis « gauche », ce mot dure deux temps.

Il faut dire « gau-auche ».

Gauche,	droite,	gauche	————
(tape)	(tape)	(tape)	(silence)
En	a-	vant	marche
(tape)	(tape)	(tape)	(tape)

Ce rythme serait plus équilibré si les deux lignes comportaient le même nombre de temps. Ajoutes-en un au dernier mot de la première (« gau-auche »).

Frappe une fois dans tes mains en disant le mot « gauche », puis compte le temps supplémentaire dans ta tête.

Les notes à deux temps

Une note qui dure deux temps s'appelle une blanche. Il y en a une sur la portée ci-dessous.

Voici un air qui convient aux mots du bas de la page 10.

Prononce les chiffres dans ta tête en jouant.

Mesure pour mesure

Les partitions musicales sont divisées en sections appelées mesures. Chacune contient le même nombre de temps.

Les chiffres placés après la clé de *sol* en tête de portée indiquent le nombre de temps par mesure : c'est le chiffrage.

Un air avec des blanches

Frappe d'abord le rythme de cette mélodie dans tes mains, puis joue-la à la flûte.

Compte deux temps pour chaque blanche.

De nouvelles notes

Sur ces deux pages, tu vas te familiariser avec le *la* et avec les notes qui durent quatre temps.

Joue le *la*

Place tes doigts sur la flûte comme pour jouer un *si*. Puis bouche le deuxième trou avec le majeur gauche. Voici un *la*.

Le *la* se situe juste dans l'intervalle au-dessous du *si*.

Plus grave que le *si*, le *la* est plus bas sur la portée.

la

Sur l'image de gauche, les petits ronds noirs t'indiquent quels trous boucher.

Écoute le *la* et le *si*.

Entends-tu la différence entre les deux notes ?

Cela peut t'aider de prononcer ces mots dans ta tête en jouant les notes.

Connu **si** Nouveau **la**

Note à quatre temps

Une note qui dure quatre temps s'appelle une ronde. Elle ressemble à une blanche, mais sans queue. Il y en a une à la fin de cet air.

Une ronde vaut quatre noires.

Combien de blanches vaut une ronde ?

Les réponses se trouvent à la page 63.

U — ne ronde, u — ne ronde,

C'est très très long.

Un peu de silence

Parfois, dans le cours d'un morceau, on marque une pause, sans produire aucun son. Ces instants de silence sont symbolisés sur la portée par une série de signes indiquant leur durée.

Quand tu vois un silence, compte le nombre de temps dans ta tête.

Note	Silence	Nombre de temps
Noire		1
Blanche		2
Ronde		4

Voici une demi-pause. Elle ne dure que deux temps.

Imagine que ce silence n'a pas de force. Il doit s'asseoir sur une ligne.

Voici une pause. Elle dure quatre temps.

Imagine que ce silence est fort. Il se suspend à la ligne et dure quatre temps.

En silence !

Entraîne-toi à utiliser les silences. Prononce ces paroles et frappe en rythme.

Mon – beau – cha – peau

Le quatrième temps est un silence. Dis « pause » dans ta tête et ne frappe pas dans tes mains.

Mon – beau – chat – (pause)

Maintenant, remplace aussi la deuxième noire par un silence.

Mon – (pause) – chat – (pause)

Marelle

Ce morceau comporte des silences. Prononce les paroles, frappe le rythme dans tes mains, puis joue-le.

Voici un soupir (un temps).

Arrête de jouer pendant un temps.

Jou – er à la ma – relle   Oh, vi – te jette la pierre

Saute d'une case tu touches la ligne   c'est per – du   à moi !

La respiration

Quand tu joues de la flûte à bec, il est important de respirer aux bons moments, afin de ne pas briser le rythme de la musique.

Quand tu inspires, ne sors pas la flûte de ta bouche.

Ne souffle pas trop fort après avoir inspiré de l'air.

Joue le *sol*

Place tes doigts sur la flûte comme si tu allais jouer un *la*. Puis bouche le trou suivant avec l'annulaire gauche.

Les notes pointées

Un point après une note augmente de moitié sa durée. Une blanche pointée dure donc l'équivalent de trois noires.

Une blanche pointée dure donc l'équivalent d'une blanche plus une noire, soit trois temps.

Une demi-blanche dure l'équivalent d'une noire.

Un nouveau chiffrage

Le chiffre trois du haut t'indique qu'il y a trois temps par mesure. Le nombre quatre du bas t'indique que chaque temps correspond à une noire.

Tu peux compter les temps dans ta tête pour rester en mesure.

N'oublie pas de compter trois temps pour les blanches pointées.

Le chant du coucou

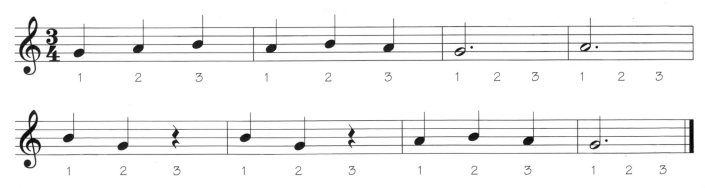

sol

Notes plus brèves

Jusqu'ici, tu as joué des notes qui duraient un, deux, trois ou quatre temps. Il existe aussi une note plus courte : la croche. La croche dure la moitié d'une noire.

Voici une croche.

Elle ressemble à une noire, avec un crochet.

Deux croches durent l'équivalent d'une noire.

Voici un demi-soupir.

Il t'indique d'arrêter de jouer pendant un demi-temps avant la note suivante.

Lorsque deux croches (ou plus) se suivent, on remplace souvent les crochets par une barre.

Des rythmes avec des croches

Essaie de frapper dans tes mains les rythmes sur la droite.

Viens à la mai - son

Quand je l'ai vu j'é-tais vrai-ment très fier de lui

Jou - er de la flûte, tu ver- ras c'est bien fa- cile

Joue le *mi*

Place tes doigts sur la flûte comme pour jouer un *sol*. Puis bouche les deux trous suivants avec l'index et le majeur droits.

Souffle très doucement.

N'oublie pas de donner un coup de langue pour chaque note.

Il faut souffler moins fort pour produire les notes graves.

Le *mi* se situe sur la ligne du bas de la portée. Joue *sol* et *mi*.

Déplace les deux doigts en même temps.

mi

Un air avec des croches

Les chiffres sous les notes t'aideront à compter les temps. Quand tu comptes deux croches, dis « et » pour la deuxième.

Danse tribale

L'anacrouse

Certains morceaux débutent par une mesure incomplète (anacrouse). Dans ce cas, la dernière mesure du morceau comporte les temps qui manquent dans la première.

Étonnant, non ?

C'est entre 25000 et 22000 av. J.-C. qu'a été fabriquée la plus ancienne flûte à bec jamais retrouvée. Les gens vivaient alors dans des grottes.

Les liaisons

Parfois, deux notes (ou plus) sur la même ligne ou dans le même intervalle sont liées par une ligne incurvée. C'est une liaison de prolongation.

La nouvelle note ainsi produite dure autant que les deux notes mises bout à bout.

Les notes liées se trouvent sur la même ligne ou dans le même intervalle.

Compte les temps

Voici quatre groupes de notes liées. Essaie de déterminer leurs durées respectives.

Joue le *ré*

Place les doigts sur la flûte comme si tu allais jouer le *mi*. Ensuite, bouche le premier double trou avec l'annulaire droit.

Le *ré* se place juste au-dessous de la première ligne de la portée.

ré sol mi sol

la ré sol

La noire pointée

On a vu qu'un point après une note augmente de moitié sa durée. Une noire pointée dure donc l'équivalent d'un temps et demi.

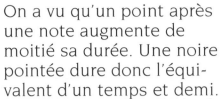

noire + croche = noire pointée

Voici une noire pointée.

Elle dure l'équivalent d'une noire plus une croche.

Essaie de frapper ce rythme.

Frappe la croche sur le « et » du second temps de la mesure.

Deux mélodies

Joue les morceaux ci-dessous. Attention aux notes liées et aux notes pointées.

Joue la première mélodie assez vite.

N'oublie pas de respirer quand tu vois ce signe.

Ici, compte trois temps.

Chant folklorique anglais

Nous roulons joyeusement

ré

Les reprises

À la fin de certains morceaux, on trouve un signe appelé double barre de reprise. Il t'indique de rejouer le morceau ou une partie.

Deux doubles barres de reprise

Quand tu vois deux doubles barres de reprise, rejoue ce qui se trouve entre les deux.

Joue les mesures 1 et 2. Puis joue deux fois les mesures 3 et 4. Puis joue les mesures 5 et 6.

Répéter depuis le début

Dans certains morceaux, tu n'apercevras qu'une double barre de reprise (celle avec les doubles points à gauche). Il faut rejouer le passage situé avant ce signe.

La seconde fois, n'en tiens pas compte et va jusqu'au bout.

Le jeu des reprises

Voici trois séries de mesures et de doubles barres de reprise. Chaque mesure est numérotée. Dans quel ordre faut-il les jouer ?

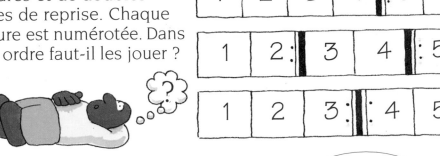

Tu trouveras les réponses à la page 63.

Joue le *do* aigu

Place tes doigts sur la flûte comme pour jouer *la*. Maintenant, relève l'index, mais laisse le pouce et le majeur en place.

do'

Les notes situées au-dessus de la ligne du milieu ont la queue en bas.

Le *do* aigu se place dans le 3e intervalle en partant du bas.

La queue du *si* peut aller vers le haut ou bien vers le bas.

do si do la

si sol do

Tes autres doigts doivent être prêts à boucher leur trou.

Soutiens la flûte avec le pouce droit.

Mesures de première et de seconde fois

Parfois, un passage répété comporte deux fins différentes. La première fois, joue la mesure 1. La seconde fois, ne joue pas la mesure 1, mais la 2.

La première fois, tu dois jouer la mesure 1.

La seconde fois, tu dois jouer la mesure 2.

Les altérations

Entre les notes *do, ré, mi, fa, sol, la, si* viennent se placer des notes altérées (diésées et bémolisées). Ici, tu vas en apprendre plus sur les dièses.

Le dièse

Une note diésée est légèrement plus aiguë que la note naturelle, mais un peu moins que la suivante.

Voici un dièse.

Ce signe se place après la note...

...*fa* dièse s'écrit donc *fa#*.

fa#

Le *fa* dièse est plus aigu que le *fa* naturel, un peu moins que le *sol*.

Joue *fa* dièse

Tiens ta flûte comme pour jouer un *mi*. Maintenant, relève l'index droit et abaisse l'annulaire.

Sur la portée, le signe dièse se place devant la note.

Le *fa* dièse se place entre les 1re et 2e lignes de la portée.

Le dièse placé devant t'indique que ce n'est pas un *fa* naturel.

(*fa#*)

Tu en apprendras plus sur *fa* à la page 34.

Le dièse affecte toutes les notes de même nom qui suivent à l'intérieur d'une mesure.

Cette note est également diésée.

Joue les mesures ci-dessus d'abord lentement.

Au bout de plusieurs fois, accélère l'allure petit à petit.

Un nouveau chiffrage

La mesure de certains morceaux est à 6/8. Le six indique qu'il y a six temps par mesure, le huit que chaque temps vaut une croche.

À 6/8, on compte soit en croches, soit en noires pointées : il y a deux noires pointées par mesure.

Prononce les mots qui se trouvent sous ces deux séries de croches.

Elles ont un rythme un peu différent.

$\frac{3}{4}$ Ve- nez dan- ser chez nous

À ¾, les croches sont divisées en trois groupes de deux. La 1ʳᵉ note de chaque groupe est accentuée.

$\frac{6}{8}$ Main-te-nant Main-te-nant

À 6/8, les croches sont divisées en deux groupes de trois. Il n'y a plus que deux notes accentuées.

Morceaux à 6/8

Les chiffres sous la portée t'aideront à rester en rythme.

Attention aux *fa* dièse.

Rappelle-toi que ce *fa* est dièse, lui aussi.

Montagnes russes

$\frac{6}{8}$ 1 2 3 4 5 6 1 2 3 4 5 6 1 2 3 4 5 6 1 2 3 4 5 6

Ne bois à ma santé qu'avec les yeux

$\frac{6}{8}$ 1 2 3 4 5 6 1 2 3 4 5 6 1 2 3 4 5 6 1 2 3 4 5 6

Quand le dièse se trouve en début de morceau, cela signifie que tous les *fa* sont dièse.

Ohé ! Tous les *fa* de ce morceau sont dièse !

Le signe se trouve sur la ligne du haut parce que la note placée sur cette ligne est également un *fa*.

L'échelle musicale

À droite, tu découvres une partie de l'échelle musicale, qui rassemble tous les sons audibles. Plus ils sont hauts sur l'échelle, plus ils sont aigus.

Les notes de même nom

Certaines notes portent le même nom que d'autres. C'est parce qu'il s'agit de versions plus aiguës ou plus graves de la même note.

Ce *do* est une version plus aiguë du *do* situé au bas de l'échelle.

Tu connais déjà les notes entourées de rouge.

Tu apprendras plus loin les notes entourées de bleu.

Quelles paires de notes ne sont pas séparées par une note diésée ?

Combien de notes différentes y a-t-il ?

Les réponses se trouvent à la page 63.

Joue le *do* dièse aigu

Tiens ta flûte comme pour jouer un *la*. Maintenant, ôte le pouce gauche.

Souffle doucement, car cette note est difficile à jouer juste.

N'oublie pas de soutenir ta flûte avec le pouce droit.

Le *do* dièse aigu se place entre les 3ᵉ et 4ᵉ lignes.

Joue ces mesures pour te familiariser avec la nouvelle note.

Joue le *ré* aigu

Tiens ta flûte comme pour jouer un *do* dièse. Puis relève l'index.

Il s'agit d'une version plus aiguë du *ré* de la page 18.

ré'

Joue ces quelques mesures.

Tu entends la ressemblance entre le *ré* grave et le *ré* aigu ?

Le *ré* aigu se place sur la 4ᵉ ligne de la portée.

Entends-tu que le *do'* dièse est à mi-chemin entre *do'* et *ré'* ?

Petits pains de Pâques

Flûtes à bec royales

À la fin du 15ᵉ siècle, la flûte à bec était l'un des instruments les plus en vogue en Europe.

À la cour d'Henri VIII, roi d'Angleterre, on trouvait plusieurs flûtistes.

Ils pouvaient choisir parmi soixante-seize flûtes à bec de tailles différentes.

ré'
do#'

Quelques morceaux

Sur ces deux pages, quelques morceaux te sont proposés. Ils t'aideront à pratiquer ce que tu as appris jusqu'ici.

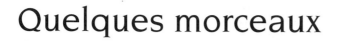

Au *clair de la lune*

Chanson allemande

Un morceau pour un ou deux flûtistes

Le morceau ci-dessous s'appelle un canon. Tu peux le jouer seul ou avec un autre flûtiste. Si vous le jouez à deux, il est préférable de le travailler séparément pour commencer.

Canon folklorique

When the saints go marchin' in

Les gammes

Une gamme est un ensemble de huit notes jouées les unes après les autres. Elle débute et finit par des notes de même nom. Il y a plusieurs types de gammes. Voici la gamme de *ré* majeur.

Le mot gamme vient de la lettre grecque *gamma*, « première note de la gamme ».

Jouer une gamme, c'est comme monter ou descendre une partie de l'échelle de la page 24.

La gamme de *ré* majeur

À droite, voici les notes qui constituent la gamme de *ré* majeur. Tu en apprendras plus sur les gammes à la page 42.

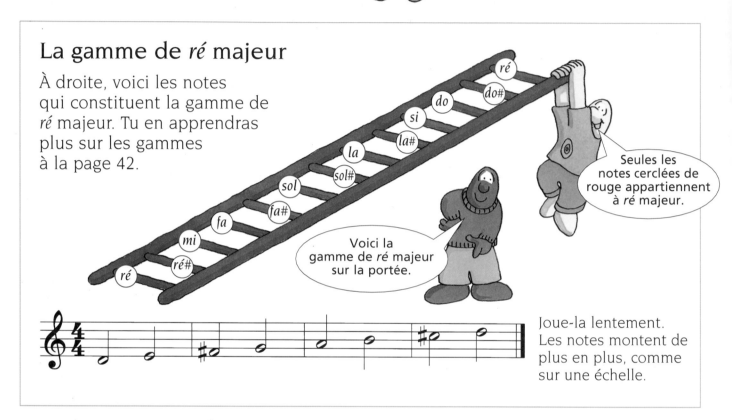

Seules les notes cerclées de rouge appartiennent à *ré* majeur.

Voici la gamme de *ré* majeur sur la portée.

Joue-la lentement. Les notes montent de plus en plus, comme sur une échelle.

Les intervalles

La distance qui sépare deux notes est appelée intervalle. La distance entre une note et la suivante de même nom, comme entre les deux *ré* de la gamme de *ré* majeur, s'appelle une octave.

Voici une octave.

Ces notes sont séparées par un ton.

Ces notes sont séparées par un demi-ton.

Le plus petit intervalle est le demi-ton. Sur l'échelle de droite, il y a un demi-ton entre les notes voisines, comme entre *fa* dièse et *sol*.

La distance entre deux notes séparées par un échelon s'appelle un ton (voir à droite). Par exemple, l'intervalle entre *ré* et *mi* est un ton.

Les dièses en début de morceau

On peut écrire les dièses de la gamme de *ré* majeur à côté de la clé de *sol*. Cette gamme comporte deux dièses : *fa* dièse et *do* dièse. Les dièses ou les bémols à la clé constituent l'armure (ou armature).

On dit que ce morceau est en *ré* majeur, parce qu'il utilise les notes de la gamme de *ré* majeur.

Cancan

Offenbach

Joue le *mi* aigu

Joue un *mi* grave (note apprise page 16). Puis déplace un peu le pouce gauche, de façon à découvrir à demi le trou du pouce.

Entraîne-toi à jouer le *mi* grave et le *mi* aigu l'un après l'autre.

mi'

mi'

Quelques instructions

Tu peux rendre ton interprétation plus riche en jouant les notes de différentes façons : plus ou moins fort, bien liées ou très détachées. Les pages suivantes te présentent certains termes et symboles qui t'indiquent comment nuancer ton jeu.

Les termes et symboles qui indiquent comment jouer sont en italien.

C'est en Italie qu'ont été imprimées les premières partitions.

Jouer avec du liant

Le mot italien pour « lié » est *legato*. Pour jouer *legato*, tiens chaque note aussi longtemps que possible avant de donner un petit coup de langue pour produire la note suivante.

On joue souvent les berceuses *legato*.

N'arrête pas de souffler entre les notes !

legato

Le mot *legato* est écrit sous la portée, comme ceci.

Tu trouveras d'autres mots italiens à la page 40.

Détacher les notes

Un point situé au-dessus ou au-dessous d'une note indique de bien la détacher de la suivante. Elle doit être aussi brève que possible. C'est ce qu'on appelle le *staccato*.

Pour jouer les notes *staccato*, dis « tut » au lieu de « ta ».

Cela permet à ta langue d'arrêter net la note ou de la démarrer.

Ne confonds pas les notes *staccato* et les notes pointées (voir page 15).

Essaie de ne pas accélérer. Compte toujours avec soin pour conserver une allure régulière.

La liaison d'expression

La liaison d'expression est une ligne incurvée placée au-dessous de notes situées sur des lignes ou dans des intervalles différents. Ne donne un coup de langue que sur la première, puis change de doigté sans donner de coup de langue.

Cette liaison diffère de la liaison de prolongation (voir p. 18)...

Liaison d'expression

Liaison de prolongation

...car elle relie deux notes situées à deux endroits différents.

Ici, un coup de langue.

Change de doigté pour la note suivante, sans coup de langue.

Essaie de déplacer tes doigts ensemble...

...ou tu risques de jouer d'autres notes par erreur.

legato

Quelle est la différence entre les notes *legato* et les notes liées ?

La réponse se trouve à la page 63.

Le chat et la souris

Attention aux notes liées et *staccato*.

Continue de souffler quand tu joues des notes liées !

Les nuances

En plus des termes que tu viens de découvrir, il en existe d'autres qui t'indiquent de jouer plus ou moins fort.

Jouer doucement

Voici trois mots qui t'indiquent de jouer doucement.

Jouer fort

Il existe aussi trois mots qui t'indiquent de jouer fort.

Le mot *piano* signifie « doucement » en italien.

Le suffixe « *-issimo* » signifie « très ».

Alors *pianissimo* signifie « très doucement ».

Mezzo (med-zo) signifie « modérément » ou « assez ».

Mezzo piano signifie « assez doucement ».

Forte (for-té) signifie « fort » en italien.

Mezzo forte signifie « assez fort ».

Fortissimo signifie « très fort ».

piano

pianissimo

mezzo piano

forte

mezzo forte

fortissimo

Les symboles des nuances

Les mots qui indiquent de jouer plus ou moins fort figurent sur la portée sous forme d'abréviations inscrites entre les portées. Les voici à droite.

Ces symboles sont écrits sous la portée.

pianissimo	piano	mezzo piano	mezzo forte	forte	fortissimo
pp	*p*	*mp*	*mf*	*f*	*ff*
très doucement	doucement	assez doucement	assez fort	fort	très fort

Comment jouer fort et doucement

L'intensité du son (son degré de force) produit par ta flûte dépend de l'intensité de ton souffle. Plus tu souffles fort, plus la note est forte.

Entraîne-toi à jouer ces notes, chacune avec plus de force que la précédente.

pp   *p*   *mp*   *mf*   *f*   *ff*

Les notes brèves

Dans certains morceaux, il y a des notes très courtes : les doubles croches. Elles durent la moitié d'une croche.

Il te sera peut-être plus facile de dire « ta-ga-ta-ga » au lieu de « ta-ta-ta-ta » pour jouer les doubles croches.

Le *gardien*

ta   ta-ga   ta   ta-ga

ta-ga   ta-ga   ta   ta-ga

Joue le *do* grave

Place les doigts comme pour jouer un *ré*, puis bouche les deux petits trous du pied avec le petit doigt droit.

Les lignes supplémentaires sont utilisées pour les notes situées au-dessus ou en dessous de la portée.

Joue plusieurs fois cette mesure pour acquérir le doigté.

Sur certaines flûtes, on peut faire pivoter le pied pour boucher ces trous plus facilement.

do

Les notes naturelles

Toute note qui n'est ni diésée ni bémolisée est dite « naturelle ». Reporte-toi à la page 36.

Le bécarre

Le bécarre annule dièses ou bémols à l'intérieur d'une mesure (altérations accidentelles).

Il annule aussi les dièses et bémols de l'armure (altérations constitutives).

Joue le *fa* grave

Positionne tes doigts comme pour jouer un *do* grave. Puis relève le majeur droit. Tu produis un *fa*.

Le doigté de *fa* te paraîtra peut-être difficile.

Répète ces mesures jusqu'à ce que tu maîtrises bien le *fa*.

La gamme de *do* majeur

Sur l'échelle sont disposées les notes de la gamme de *do* majeur. Répète-la jusqu'à ce que tu la maîtrises.

Il n'y a pas de dièses dans cette gamme, donc pas d'armure pour les morceaux en *do* majeur.

Exerce-toi à faire ces gammes chaque fois que tu veux jouer de ta flûte.

Deux morceaux

Celui-ci t'aidera à travailler la gamme de *do* majeur.

Puer nobis nascitur

Piae Cantiones 1582

L'entrée des clowns

fa

Les altérations (suite)

À la page 22, tu as découvert le dièse. Voici à présent un autre type d'altération : le bémol.

Voici un bémol.

Le bémol

Le bémol abaisse d'un demi-ton la note devant laquelle il se place. Chaque note altérée porte deux noms, selon l'altération qui la précède. Ainsi, *fa* dièse peut aussi s'appeler… *sol* bémol.

Cette note peut s'appeler *fa* dièse ou *sol* bémol.

Les échelons sont séparés d'un demi-ton.

Tu en apprendras davantage sur le double nom des notes à la page 42.

Voici un fa dièse.

Voici un *sol* bémol.

Bien qu'elles aient la même tonalité, ces notes se placent à deux endroits différents sur la portée.

Peux-tu trouver les deux noms de la note située entre *la* et *si* ?

La réponse se trouve à la page 63.

Joue le *si* bémol

Joue un *sol*, puis relève le majeur gauche et abaisse l'index droit. Tu produis alors un *si* bémol.

Le *si* bémol se place sur la ligne du milieu de la portée.

si♭

On peut appeler cette note *si* bémol ou *la* dièse.

N'oublie pas de consulter l'armure.

Tous les *si* ci-dessous sont bémol.

Répète ces mesures jusqu'à ce que tu les maîtrises.

Comment modifier l'intensité

Certains termes et symboles italiens t'indiquent de jouer de plus en plus fort (*crescendo* : cré-chenn-do), ou au contraire de moins en moins fort (*diminuendo* : di-mi-nu-enn-do).

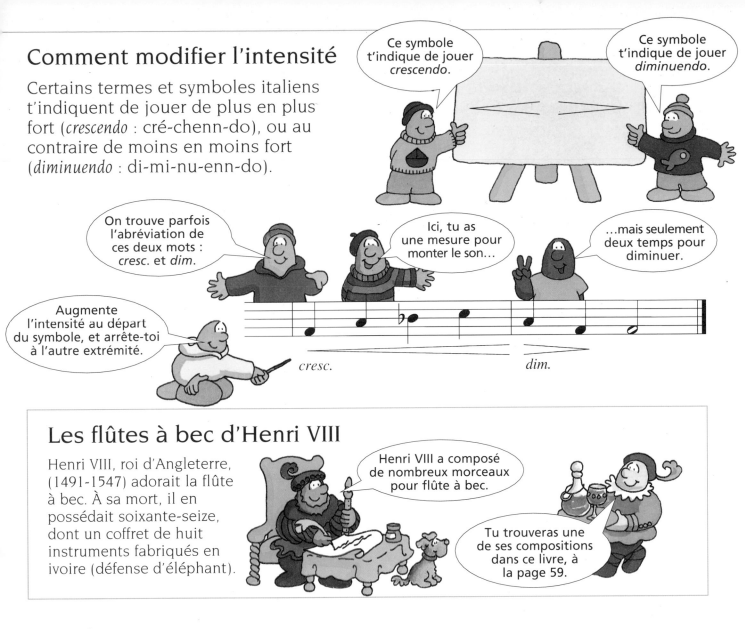

Les flûtes à bec d'Henri VIII

Henri VIII, roi d'Angleterre, (1491-1547) adorait la flûte à bec. À sa mort, il en possédait soixante-seize, dont un coffret de huit instruments fabriqués en ivoire (défense d'éléphant).

Toute la nuit

Avant de commencer, examine les symboles indiquant avec quelle intensité sonore jouer.

À toi de jouer

Joue les quatre morceaux sur ces deux pages pour t'exercer.

Le houx et le lierre

J'ai vu trois bateaux

Mon chéri vit au-delà de l'océan

Le canon de Rachel

Voici un autre canon, semblable à celui de la page 27. Tu peux le jouer avec un ami.

D'autres instructions

On t'explique de nouveaux termes et symboles italiens sur ces deux pages.

Le tempo

La vitesse à laquelle on joue un morceau s'appelle le *tempo*. Un terme italien placé en début de morceau et au-dessus de la portée t'indique à quelle vitesse jouer. Voici le sens de certains de ces termes.

> *Allegro* (al-lé-gro) signifie « vif, gai ».

> Une danse folklorique peut se jouer *allegro*.

> *Lento* (lenn-to) est le mot italien pour « lent ».

> Un air romantique peut se jouer *lento*.

> *Andante* (ann-dann-té) se situe entre *lento* et *allegro*.

> *Andante* signifie « au pas ».

Il est essentiel de respecter le *tempo* d'un morceau : sinon, on peut le dénaturer complètement !

Joue le *fa* et le *fa* dièse aigus

Positionne tes doigts comme pour jouer le *mi* aigu. Puis relève le majeur droit et abaisse l'annulaire droit. Tu produis un *fa* aigu.

Maintenant, relève l'index et l'annulaire droits et abaisse le majeur. Tu produis un *fa* dièse aigu.

> Si la note est un *fa* dièse, un dièse figure devant la note ou à l'armure de la clé.

> Le *fa* aigu et le *fa* dièse aigu se situent sur la ligne du haut de la portée.

fa'/fa#'

Joue ces mesures plusieurs fois pour t'habituer aux notes.

Ralentir le tempo

Le mot *ritardando* (ri-tar-dann-do) t'indique de ralentir progressivement le *tempo*. Son abréviation est *rit.*

Au milieu d'un morceau, le mot *ritardando* est souvent suivi de l'expression *a tempo*.

Le *tempo* ralentit, un peu comme un train avant d'entrer en gare.

L'expression *a tempo* indique que tu dois reprendre le *tempo* initial.

Le mot *ritardando*, ou *rit.*, figure au-dessous de la portée.

D.C. al Fine

D.C. *al Fine* est l'abréviation de *Da Capo al Fine*. Cela t'indique de retourner au début du morceau et de le rejouer jusqu'au mot *Fine* (fi-né), où tu dois t'arrêter de jouer.

Retourne au début et rejoue.

La seconde fois que tu joues, arrête-toi au mot *Fine*.

Le point d'orgue

Le point d'orgue t'indique de tenir la note un peu plus longtemps que d'ordinaire.

On en aperçoit souvent en fin de morceau ou à la fin d'une section *ritardando*.

L'espion

Repère les mots italiens dans le morceau avant de commencer à jouer.

Il faut jouer ce morceau lentement.

fa'
fa#'

Les gammes (suite)

Jusqu'à présent, tu as appris à jouer les gammes de *ré* majeur (page 28) et de *do* majeur (page 35). Tu apprends ici de quelles notes les autres gammes majeures sont composées.

À chaque gamme ses notes

Chaque gamme majeure comporte huit notes. À droite, les intervalles entre chaque note et la suivante sont indiqués.

> Un bloc jaune correspond à un ton.

> Un bloc rouge correspond à un demi-ton.

> Échelle montrant les notes de la gamme de *do* majeur.

> Échelle montrant les notes de la gamme de *ré* majeur.

> L'ordre des tons et des demi-tons est le même pour chaque gamme.

> Cela te permet de déterminer l'ordre des notes des autres gammes majeures.

La gamme de *fa* majeur

En suivant les étapes ci-dessous, essaie de trouver les notes qui constituent la gamme de *fa* majeur.

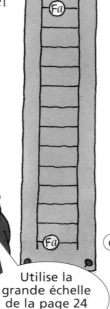

① Dessine une échelle de treize échelons sur une feuille de papier.

② Écris *fa* sur l'échelon du haut et sur celui du bas.

③ Examine l'ordre des intervalles sur les deux gammes du haut de la page.

> Utilise la grande échelle de la page 24 pour t'aider.

④ La deuxième note se situe un ton au-dessus de *fa*. C'est le *sol*. Écris donc *sol* sur l'échelle musicale.

> Saute un échelon pour les intervalles d'un ton...

⑥ La note suivante est un demi-ton au-dessus. En *fa* majeur, il s'agit d'un *si* bémol, car chaque note a une place propre sur la portée.

⑤ Identifie la note suivante de la même façon. C'est un *la*. Écris donc *la* sur ton échelle.

> ...et aucun pour les demi-tons.

⑦ Continue jusqu'à ce que tu aies inscrit huit notes sur l'échelle. Tu peux vérifier que tu ne t'es pas trompé à la page suivante.

Le ton de *fa* majeur

Une armure de clé peut comporter des dièses ou des bémols, mais jamais les deux. Les morceaux en *fa* majeur (*fa* majeur est le « ton ») ont un *si* bémol à la clé.

Voici un *si* bémol.

Il ne s'appelle jamais *la* dièse dans la gamme de *fa* majeur.

Sinon, il y aurait deux notes dans le deuxième intervalle...

...mais aucune sur la ligne du milieu.

Répète cette gamme jusqu'à ce que tu ne fasses plus d'erreur.

Joue le *sol* aigu

Positionne tes doigts comme pour jouer le *fa* dièse aigu. Puis relève le majeur droit. Tu produis un *sol* aigu.

Le *sol* aigu se place tout en haut de la portée.

C'est la note la plus aiguë de ce livre.

sol'

Il en existe de plus aiguës, mais on ne les emploie pas souvent.

Au *galop* !

Répète ce morceau pour t'habituer à la nouvelle note.

La gamme de *sol* majeur

Essaie de trouver les notes qui constituent la gamme de *sol* majeur, en procédant comme pour *fa* majeur.

Voici un indice pour t'aider. Il y a un dièse en *sol* majeur.

Quand tu auras trouvé les notes...

...dessine une portée sur une feuille et écris les notes dessus.

Tu peux vérifier que tu ne t'es pas trompé à la page 63.

sol'

De nouvelles notes

Tu vas découvrir quatre nouvelles notes. Tu pourras alors jouer toutes les notes de la grande échelle musicale de la page 24.

Joue le *do* dièse grave

Joue un *do* grave, puis fais glisser lentement ton petit doigt afin de découvrir le plus petit des deux trous.

On appelle aussi cette note ré bémol.

Ce trou doit être complètement découvert.

do#

Répète la mesure de gauche pour t'habituer au doigté.

Joue le *ré* dièse grave

Joue un *ré* grave, puis fais glisser l'annulaire droit pour découvrir le plus petit des deux trous.

On appelle aussi cette note mi bémol grave.

Ce trou doit être complètement découvert.

ré#

Répète la mesure de gauche pour t'habituer au doigté.

Joue le *sol* dièse grave

Positionne tes doigts comme pour jouer un *ré* dièse grave. Puis relève l'annulaire gauche.

On appelle aussi cette note la bémol.

Le doigté de cette note est assez compliqué !

sol#

Répète cette mesure jusqu'à ce que tu la joues sans accroc.

Joue le *ré* dièse aigu

Positionne tes doigts comme pour jouer un *ré* grave. Puis relève le pouce et l'index gauches.

On appelle aussi cette note mi bémol aigu.

ré#'

Joue cette mesure plusieurs fois pour t'habituer aux notes.

Conseils techniques

Tu en sais maintenant assez pour jouer tous les morceaux de ce livre. Voici quelques conseils pour t'aider à bien les jouer.

Avant de commencer

Effectue quelques vérifications simples avant de jouer.

Chiffrage

Signes et symboles

Armure

Allegro

Termes italiens

Étudie le rythme avant de jouer, surtout dans les passages difficiles.

Parcours l'ensemble du morceau, en recherchant tous les symboles et instructions.

Voici ce qu'il faut chercher.

En jouant le morceau

Une fois que tu as examiné la partition en détail, tu es prêt à jouer.

Travaille chaque passage que tu trouves difficile.

Joue le passage d'abord très lentement, puis accélère progressivement .

Il vaut mieux jouer le morceau en entier, sans t'arrêter, même si tu commets une erreur.

Jouer devant un public

Quand tu maîtrises bien un morceau, essaie de le jouer à quelqu'un.

N'oublie pas : assis ou debout, tiens-toi droit !

Mais auparavant, assure-toi que tu connais toutes les notes.

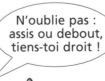

do#
ré#
ré#' sol#

Morceaux choisis

Les pages suivantes te proposent une sélection de morceaux à jouer, seul ou en public. Si tu as besoin d'aide, lis les conseils de la page 45.

La vallée de la rivière rouge

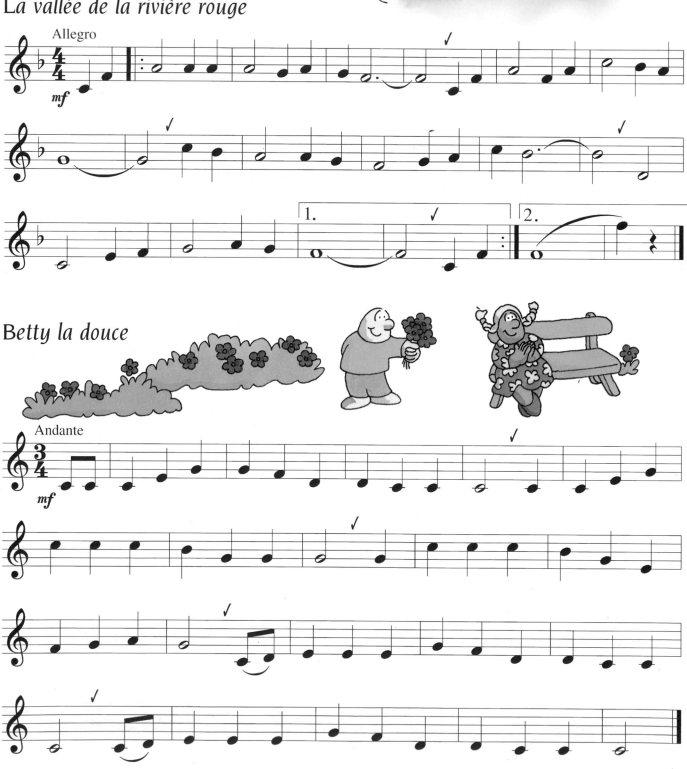

Betty la douce

Chant d'oiseau

Sullivan

La fête de Scarborough

Le retour du soldat

Le braconnier

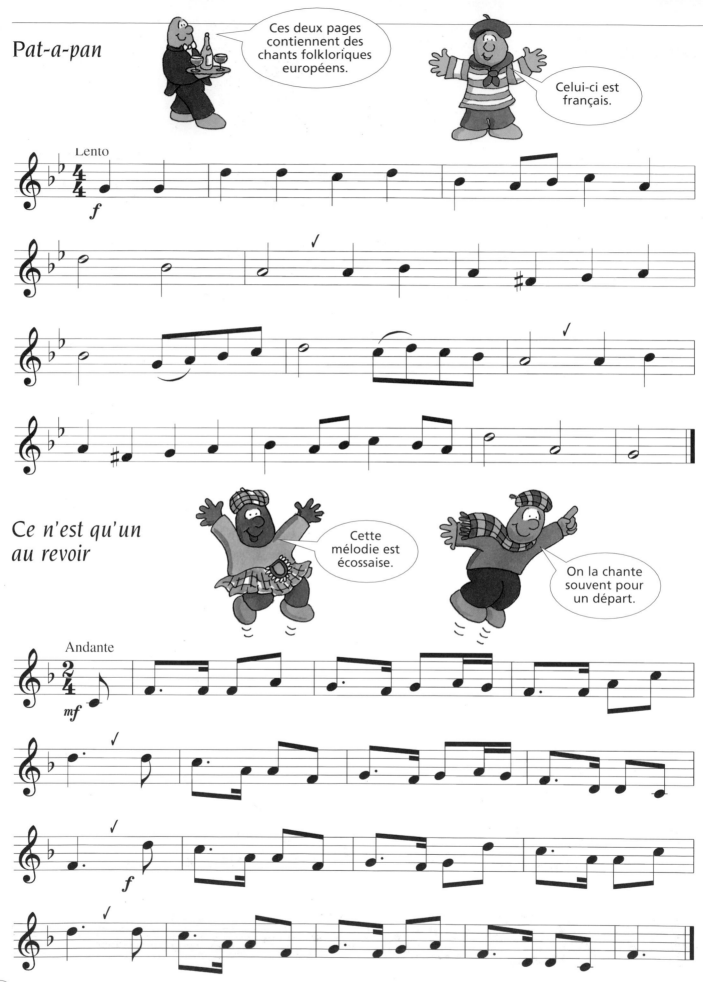

Berceuse

Notre Dieu de l'espérance

Le matin (extrait de Peer Gynt)

Grieg

Le Beau Danube bleu

Strauss

Symphonie du Nouveau Monde (extrait)

Dvořak

Le bon roi Wenceslas

Piae Cantiones 1582

Hark ! The herald angels sing

Mendelssohn

54

Morceaux pour deux interprètes

Sur ces deux pages, tu trouveras des morceaux à jouer avec un ami. Ce sont des duos. Chaque flûtiste suit une portée différente.

Les deux interprètes doivent démarrer exactement en même temps. Pour y parvenir, décidez d'un tempo et comptez une mesure avant de commencer.

Le *marin ivre*

Pour flûte à bec et piano

Tu peux jouer les deux morceaux
suivants seul ou avec un pianiste.
La portée du haut est celle de la flûte,
et les deux du bas celles du piano.

Greensleeves

En bonne compagnie

Roi Henri VIII

La famille des flûtes à bec

Il existe de nombreux types de flûtes à bec. Les quatre plus courantes sont la sopranino, la soprano, l'alto et la ténor.

Sopranino

Soprano

Alto

Ténor

Cette flûte à bec est munie d'une clé pour boucher le trou le plus bas...

...et d'un repose-pouce pour le pouce droit.

La plus petite des quatre modèles courants (environ 24 cm de long). Elle joue des notes plus aiguës que la soprano.

La plus courante des flûtes à bec, et aussi la moins chère. Les mélodies de ce livre ont été composées pour flûte à bec soprano.

Cette flûte mesure environ 48 cm de long. Elle joue des notes plus basses que la soprano et produit des sonorités très riches.

Avec ses 64 cm, c'est la plus longue de ces flûtes à bec. Elle produit des notes situées une octave plus bas que la soprano.

Des flûtes rares

Il existe plusieurs autres types de flûte à bec, beaucoup plus rares.

Pour jouer de cette flûte, il faut souffler dans un tuyau de près de 2 m.

Des clés permettent de boucher les trous, très éloignés les uns des autres.

Cette flûte doit reposer sur un trépied spécial.

La plus petite est la flûte Garklein. Elle ne mesure que 12 cm. C'est à peu près la longueur de la tête d'une flûte à bec soprano.

Il est facile d'en jouer si on a de petits mains...

...car les trous sont très rapprochés.

La plus grosse est la sous-contrebasse. Elle mesure plus de 3 m de haut et coûte plus de 300 fois plus cher que ce livre !

Comment choisir sa flûte à bec

La flûte à bec soprano compte parmi les instruments les moins coûteux. Voici un tableau où figurent quelques marques de flûtes connues.

C'est une bonne idée d'acheter sa flûte dans un magasin spécialisé.

Tu en trouveras moins chères dans d'autres magasins...

...mais il est plus difficile d'en jouer et elles sonnent mal.

Plus on descend dans la liste, plus les flûtes sont chères.

La moins chère est en haut.

La plus chère est tout en bas.

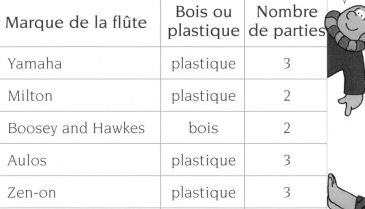

Marque de la flûte	Bois ou plastique	Nombre de parties
Yamaha	plastique	3
Milton	plastique	2
Boosey and Hawkes	bois	2
Aulos	plastique	3
Zen-on	plastique	3
Dolmetsch	plastique	3
Adler	bois	2
Hohner	plastique	1 ou 2
Schott	bois	2
Musima	bois	2
Hohner	bois	2
Hellinger	bois	2
Moeck	bois	2
Mollenhauer	bois	2
Kung	bois	2
Moeck (faite main)	bois	2
Dolmetsch (faite main)	bois	2

Quelques enregistrements

Voici des suggestions de disques à écouter. Entre parenthèses, tu trouveras le label de chaque disque.

Recorder recital
par Michael Petri
(BBC)

Sonates de Telemann
par Michael Petri
(Philips)

Sonates de Haendel et de Telemann
par Franz Bruggen
(Telefunken)

Sonate op.1 de Haendel
par Hans Martin Linde
(EMI)

Œuvres de Vivaldi, Marcello (et autres)
par Philip Picket
(Saga)

Termes musicaux

Voici une liste qui explique les principaux termes musicaux employés dans ce livre, ainsi que d'autres mots dont tu ignores peut-être le sens.

A *tempo*	Adopter de nouveau le *tempo* initial.	*Fortissimo*	Jouer très fort.
Allegro	Jouer assez vite.	*Gamme*	Série de huit notes qui commence et finit par une note de même nom. Les première et dernière notes sont séparées par une octave.
Andante	Jouer « au pas »		
Armure	Les dièses ou bémols en début de morceau.		
Canon	Morceau qui peut être joué par plusieurs interprètes, qui démarrent chacun à un moment différent.	*Intervalle*	1) Distance entre deux notes. 2) Espace entre deux lignes sur la portée.
Chiffrage	Chiffres en début de morceau qui indiquent combien il y a de temps par mesure et quelle est l'unité de temps.	*Liaison d'expression*	Une ligne qui relie deux notes (ou plus) à différents endroits sur la portée. Ne donne un coup de langue que sur la première.
Crescendo	De plus en plus fort.	*Liaison de prolongation*	Deux notes (ou plus) sur la même ligne ou dans le même intervalle liées par une ligne incurvée. La nouvelle note ainsi produite dure autant que les deux notes mises bout à bout.
Da Capo al Fine	Retourner au début et rejouer le morceau jusqu'au mot *Fine*.		
Demi-ton	Le plus petit intervalle entre deux notes, par exemple de *fa* à *fa* dièse.		
Diminuendo	De moins en moins fort.	*Legato*	Jouer en liant bien les notes.
Duo	Un morceau pour deux interprètes.	*Lento*	Jouer lentement.
Fine	La fin du morceau (voir *Da Capo al Fine*).	*Ligne supplémentaire*	Ligne située au-dessus ou au-dessous de la portée.
Forte	Jouer fort.	*Mezzo forte*	Jouer assez fort.

Mezzo piano	Jouer moyennement doucement.	Tempo	L'allure à laquelle on joue un morceau.
Octave	Distance entre deux notes de même nom. Une octave comporte huit notes.	Ton	1) Intervalle de deux demi-tons, par exemple entre *fa* et *sol*. 2) Première note de la gamme qui a servi à composer le morceau.
Pianissimo	Jouer très doucement.		
Piano	Jouer doucement.		
Ritardando	Ralentir progressivement.		
Staccato	Un point au-dessus ou au-dessous d'une note. Les notes *staccato* sont brèves et détachées.		

Réponses

Page 11	Il y a quatre mesures dans ce morceau, et quatre temps par mesure.
Page 12	Une ronde vaut deux blanches.
Page 18	Les notes liées sur la gauche valent l'équivalent de sept noires. Les notes liées sur la droite valent l'équivalent de cinq noires.
Page 21	L'ordre dans lequel jouer ces mesures est le suivant : 1 2 3 4 5 6 5 6 1 2 1 2 3 4 5 5 1 2 3 1 2 3 4 5 4 5
Page 24	Aucun dièse ne vient se glisser entre le *mi* et le *fa*, ni entre le *si* et le *do*. Il y a vingt notes différentes sur l'échelle musicale.
Page 31	Pour les notes *legato*, donne un petit coup de langue, mais n'en donne que sur la première note d'un groupe de notes liées.
Page 36	Les deux noms de la note entre *la* et *si* sont *la* dièse et *si* bémol.
Page 43	C'est la gamme de *sol* majeur. Il y a un *fa* dièse à la clé.

Index

Notes

si	–	8	*do#'*	–	24
la	–	12	*ré'*	–	25
sol	–	14	*mi'*	–	29
mi	–	16	*do*	–	33
ré	–	18	*fa*	–	34
do'	–	21	*si♭*	–	36
fa#	–	22	*fa'*	–	40

fa#'	–	40
sol'	–	43
do#	–	44
ré#	–	44
ré#'	–	44
sol#	–	44